Dieses Drachenbuch gehört:

....

Bringe deinem Drachen Konsequenzen bei
My Dragon Books Deutsch – Volumen 14
von Steve Herman

ISBN: 978-1-64916-040-9 (Taschenbuch)
ISBN: 978-1-64916-041-6 (Gebundenes Buch)

www.MyDragonBooks.com

Erstauflage: Juni 2020

10 9 8 7 6 5 4 3 2 1

Bringe deinem Drachen Konsequenzen bei

My Dragon Books Deutsch – Volumen 14

Steve Herman

Hi, ich heiße Drew,
ich hab' was, das kann fast nicht sein.
Ich habe einen eigenen Drachen,
keine Sorge, er ist nicht gemein.

Ich nenne ihn Diggory Doo,
er ist ein ganz außergewöhnliches Tier.
Das beste Haustier, das es gibt.
Tatsächlich, das sag' ich dir!

Ein Drache, der muss höflich sein,
und Manieren, die kann er ja nun.
Also lehre ich meinen Drachen auch,
immer das Richtige zu tun.

Einmal aß Diggory Süßigkeiten,
als er fertig war, wollte er toben,
also warf er das benutzte Einpackpapier,
einfach direkt auf den Boden.

Diggory liebt die Rutschen und Schaukeln,
aber warten, das mag er nicht.
Er drängelte sich ständig vor,
„du musst lernen," sagte ich ihm ins Gesicht.

Dann wieder klaute mein Drache
im Laden einen Kaugummi.
„Das ist ja wirklich gar nicht gut," sagte ich,
„das machst du nicht wieder, nie!"

Diggory ließ seine Hausaufgaben,
er hatte einfach keine Lust, wie sich zeigt.
„Diggory Doo," sagte ich zu ihm,
„diesmal hast du es wirklich vergeigt."

„Um Himmels Willen!" sagte er, „macht keinen Unterschied, hab' ich gedacht, ich brauche einfach eine Pause, und hab' meine Aufgaben nur einmal nicht gemacht."

„Konsequenzen sind die Resultate,
unsere Entscheidungen in allen Sachen."

„Wenn du zum Beispiel Unordnung machst, dann ist es nicht schwer zu verstehen,"

„Wenn du dich vordrängelst,
dann weißt du, das ist nicht sehr nett,
überleg mal, wie würdest du dich fühlen,
wenn jeder das auch bei dir tät?"

„Hier ist eine Lektion, lieber Diggory, die jeder lernen muss, Stück für Stück. Jede Wahl, die man jemals trifft, kommt auch wieder zu einem zurück."

„So denk zum Beispiel zuerst an andere, dann wirst du sehen, dass du die besten Ergebnisse bekommst, wenn du wählst, auf Freundlichkeit zu bestehen."

Sei also achtsam mit deinen Entscheidungen,
die du täglich triffst in aller Ruh'.
Denn wenn du die richtigen Dinge wählst,
kommt Gutes auf dich zu.

Stell dir nur einem einen Moment lang vor,
wir wären uns alle einig und sehr
entschlossen, immer das Richtige zu tun,
wie schön diese Welt dann wär'.